wdar Ff vn

a storïau e

Helen Bailey ac Emma Thomson

Lluniau Emma Thomson

Addasiad Catrin Beard

DYMUNIAD

Mae'r llyfr hwn yn cynnwys dymuniad arbennig iawn i ti
a dy ffrind gorau.

Gyda'ch gilydd, daliwch y llyfr bob pen,
a chau eich llygaid.

Crychwch eich trwynau a meddwl am rif
sy'n llai na deg.

Agorwch eich llygaid, a sibrwd eich rhifau
i glustiau'ch gilydd.

Adiwch y ddau rif gyda'i gilydd. Dyma'ch

Rhif Hud

ti

dy ffrind gorau

Rhowch eich bys bach ar y sêr,
a dweud eich rhif hud yn uchel,
gyda'ch gilydd. Nawr, gwnewch eich dymuniad
yn dawel i'ch hunan. Ac efallai, un diwrnod,
y daw eich dymuniad yn wir.

Cariad mawr

Siriol
x

I'm chwaer, Anna.

E.V.T.

I Jan Rochester—H.E.B.

Cyhoeddwyd gyntaf ym Mhrydain yn 2007
gan Hodder Children's Books

Cyhoeddwyd gyntaf yn Gymraeg yn 2010 gan
Wasg Gomer, Llandysul, Ceredigion, SA44 4JL.
www.gomer.co.uk

ISBN 978 1 84851 127 9

Noddwyd gan Lywodraeth Cynulliad Cymru.

Argraffwyd a rhwymwyd yng Nghymru gan
Wasg Gomer, Llandysul, Ceredigion.

CYNNWYS

Ffwdan Ffasiwn

Roedd Siriol Swyn yn mwynhau bore diog yn yr ardd yn edrych drwy rifyn diweddaraf cylchgrawn *Y Dylwythen Drendi*. Roedd llawer o ffrogiau pert a llu o erthyglau diddorol ynddo, ond yr un a dynnodd ei sylw oedd: 'Mae Gwisg Newydd Sbon yn Creu *Chi* Newydd Sbon!' Roedd llun o'r seren bop Bethan Befriog yn gwisgo pob math o ffrogiau, ond roedd y rhan fwyaf ohonyn nhw'n ddu, a doedd gan yr un ohonyn nhw sgert lawn, fel roedd Siriol yn ei hoffi. Roedd Siriol yn eithaf hoff o'r *hen* hi, ond roedd yr hi newydd yn swnio'n ddiddorol. A dyma'r esgus perffaith i fynd i siopa!

'Os dwi am brynu gwisg newydd ar gyfer y fi newydd,' meddai wrthi'i hun yn uchel wrth sgipio allan drwy'r drws, 'rwy'n meddwl y bydd yn rhaid i fi fynd i siopau gwahanol!'

Felly, yn lle troi i'r dde wrth adael y tŷ i fynd i lawr Rhiw'r Plu i'r siopau yn Nhre'r Blodau, trodd i'r chwith i fyny'r rhiw tuag at Ffridd-las. Roedd pawb yn gwybod bod y siopau yn y fan honno'n cadw'r dillad diweddaraf gan y cynllunwyr ffasiwn gorau. Roedd Siriol yn ysu am roi cynnig ar y ffasiynau newydd!

* * *

Y siop gyntaf oedd Miss Tylwythen – yn ôl y cylchgrawn, hon oedd yn cynnig 'y profiad siopa gorau i'r dylwythen sy'n deall ffasiwn'.

Ac yn y ffenest roedd un o'r ffrogiau roedd Bethan Befriog yn ei gwisgo ar dudalennau *Y Dylwythen Drendi*!

Yn gyffro i gyd, agorodd Siriol y drws ac i mewn â hi.

Ond yn lle'r rhesi a rhesi o ffrogiau lliwgar roedd hi wedi disgwyl eu gweld, doedd dim ond un neu ddwy o ffrogiau tywyll yn hongian ar reiliau duon yn y cysgodion. Roedd popeth yn daclus, yn lân ac yn berffaith. Teimlai Siriol ei bod yn gwneud y siop yn anniben dim ond drwy fod yno!

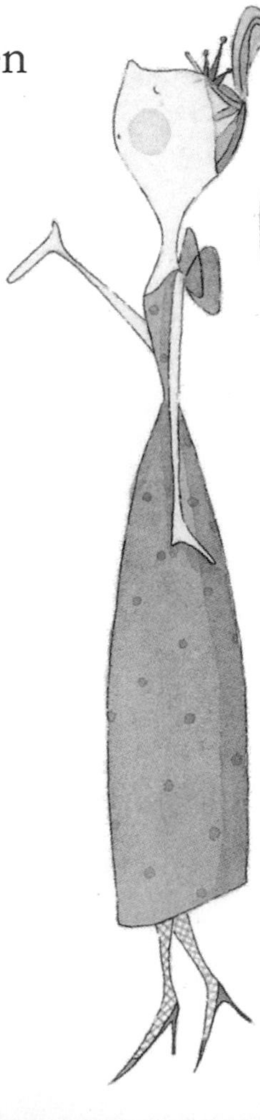

Roedd y cyfan yn oer ac anghyfeillgar, hyd yn oed y dylwythen oedd yn gweithio yno. Roedd hi'n cerdded at Siriol yn awr, wedi'i gwisgo mewn du i gyd, gan gynnwys adenydd du a choron ddu. Roedd hyd yn oed ei gwallt, oedd wedi'i dynnu'n ôl mewn cynffon uchel, yn ddu. Roedd Siriol yn meddwl ei bod yn edrych fel brân fawr.

'Alla i eich helpu chi?' gofynnodd mewn llais oedd yn gwneud i Siriol feddwl taw helpu oedd y peth *olaf* roedd hi am ei wneud.

Pesychodd Siriol yn swil, ac edrych arni gan ddweud, mor ddewr ag y gallai, 'Rwy'n hoffi'r ffrog yn y ffenest, ond ydi hi ar gael mewn pinc?'

Edrychai tylwythen y siop fel pe bai hi wedi llyncu afal taffi mawr mewn un llwnc.

'Does 'da ni *ddim* ffrogiau pinc eleni,' meddai'n ddramatig. 'Eleni, du yw'r pinc newydd.'

Ond roedd Siriol am gael ffrog binc – neu borffor, o bosib. Beth oedd pwynt prynu gwisg arbennig os nad oedd hi ar gael yn eich hoff liw?

'Oes gennych chi *unrhyw* liw ar wahân i ddu?' gofynnodd Siriol i'r frân.

'Os yw madam yn teimlo'n anghyfforddus ynglŷn â newid i ddu

ar unwaith, mae rhai lliwiau eraill i'w cael, fel llwyd tywyll, golosg, du'r nos ac awyr stormus.'

'Dim pinc?' gofynnodd Siriol.

'Dim pinc,' atebodd y dylwythen yn bendant.

Ond wrth weld y siom ar wyneb Siriol, cynigiodd ffonio cangen arall o'r siop i weld a oedd ganddyn nhw ffrogiau pinc.

'Tamara? Blodwen o siop Miss Tylwythen yn Ffridd-las sy 'ma. Mae gen i gwsmer fyddai'n hoffi cael steil rhif 1422 mewn –' a bu bron iddi boeri'r gair – 'PINC!'

Gallai Siriol glywed Tamara'n chwerthin ar ben arall y ffôn wrth i Blodwen sibrwd rhywbeth. Roedd Siriol yn meddwl bod y ddwy'n anfoesgar iawn. Yna cofiodd y lluniau o Bethan Befriog yn gwisgo'r ffrogiau du yn *Y Dylwythen Drendi*. Efallai ei *bod* hi'n bryd iddi roi cynnig ar rywbeth gwahanol. Cydiodd yn y ffrog ar y rheilen, edrych pa faint oedd hi, a dweud wrth y dylwythen (oedd yn dal i chwerthin a sibrwd i mewn i'r ffôn), 'Fe gymeraf i hon!'

* * *

Doedd Siriol ddim yn teimlo fel sgipio'n hwyliog fel roedd hi'n arfer ei wneud ar ôl prynu ffrog. A dweud y gwir, roedd hi'n teimlo'n eithaf digalon. Nid hon oedd y ffrog roedd hi wedi dymuno ei chael mewn gwirionedd, ac yn *sicr* nid dyma'r lliw roedd hi wedi breuddwydio amdano. Ond o leiaf fe fyddai hi'n gwisgo'r ffasiwn ddiweddaraf!

Gallai wisgo tlysau pefriog newydd gyda'r ffrog, meddyliodd.

Felly, aeth yn ei blaen i siop Tlysau, oedd yn gwerthu pob math o addurniadau tylwyth teg.

Roedd y dylwythen yn siop Tlysau yn fwy cyfeillgar o lawer na'r hen Blodwen yna. Roedd hi'n edrych fel pe bai hi'n awyddus iawn i helpu Siriol.

'Hoffwn i brynu ffon hud newydd, os gwelwch yn dda,' meddai Siriol.

Roedd y dylwythen wedi gweld ei bag siopa.

'A,' meddai, 'rwy'n gweld eich bod chi wedi bod yn siop Miss Tylwythen. Mae'n amlwg eich bod chi'n deall ffasiwn i'r dim.'

Roedd Siriol wrth ei bodd. Dyna'n *union* oedd hi! Tylwythen oedd yn gwybod popeth am ffasiwn ddiweddaraf y tylwyth teg!

'Gaf i awgrymu'r ffon hud fwyaf

ffasiynol sydd ar gael eleni?' meddai'r dylwythen.

Aeth i nôl ffon ddu denau iawn a bregus yr olwg, gyda smotyn ar ei phen.

Syllodd y ddwy ar y ffon yn ddwys.

Yna holodd Siriol, 'Ydi hi'n gweithio?'

Pesychodd y dylwythen yn chwithig.

'Wel, mae'n deg dweud bod rhai cwsmeriaid yn teimlo bod ei phwerau chwifio yn . . . ym . . . gyfyng.'

Plygodd yn agosach at Siriol a chrychu'i thrwyn. 'Rhyngoch chi a fi, fyddwn i ddim yn ei chario hi dim ond ar adegau pan fyddwn i'n gwybod na fyddai angen ei defnyddio.'

Meddyliodd Siriol am eiliad. Tybed sut fyddai hi'n gwybod o flaen llaw a fyddai arni angen ffon hud ai peidio? Tylwythen ifanc oedd hi, yn ddisgybl yn ysgol y tylwyth teg, ond er nad oedd hi'n meddu ar bwerau llawn eto roedd y ffon hud yn edrych yn ofnadwy o wan. Ond roedd hi'n ffasiynol, a dyna'r peth pwysicaf.

Yna, awgrymodd y dylwythen y dylai Siriol gael coron newydd i fynd gyda'r ffon hud. Roedd honno hefyd yn fach iawn, ond fel yr atgoffodd Siriol ei hun, roedd yn hynod o ffasiynol!

Gyda ffrog newydd, ffon hud newydd a choron newydd, penderfynodd Siriol fynd gam ymhellach a chael adenydd newydd. Fel tylwythen ifanc, doedd ganddi hi ddim hawl cael pâr llawn o adenydd â siffrwd dwbl, ond gallai ddewis unrhyw bâr o adenydd siffrwd sengl oedd yn tynnu'i sylw.

Yn siop Adenydd ac Addurniadau dangosodd ei Cherdyn Adnabod Tylwythen i'r dylwythen ac anfonodd honno hi draw i'r adran 'Tylwythen Ifanc'.

Roedd Siriol yn meddwl ei bod wedi gwneud camgymeriad: roedd yr adenydd mor fach! Tylwythen ifanc oedd hi, nid babi!

Aeth yn ôl at y cownter a dangos ei Cherdyn Adnabod Tylwythen unwaith eto.

'Rydw i'n ddisgybl yn ysgol y Tylwyth Teg,' meddai. 'Mae gen i hawl i gael adenydd mwy o faint.'

Roedd y dylwythen yn brysur yn glynu streip cyflymder ar ei hesgidiau, ac meddai heb edrych i fyny, 'Mae'r cynllunwyr i gyd yn gwneud adenydd llai o faint eleni. Adenydd "micro" yw'r peth diweddaraf. Mae pawb am eu prynu nhw – dy'n ni ddim yn gallu cael digon ohonyn nhw.'

Doedd Siriol ddim yn cofio gweld yr un o'i ffrindiau'n gwisgo adenydd o'r fath. Roedd rhywbeth yn rhyfedd iawn am yr holl silffoedd oedd yn llawn adenydd, er bod y dylwythen yn dweud eu bod yn boblogaidd iawn.

Cododd bâr o adenydd ac edrych ar y tocyn. 'Holl bŵer adenydd safonol mewn cynllun syml, llawn steil,' oedd y geiriau arno. 'I'r dylwythen fodern brysur!'

'Tylwythen fodern brysur,' meddai Siriol wrthi'i hun. 'Fi yw honno! Bydd yr adenydd hyn yn berffaith!'

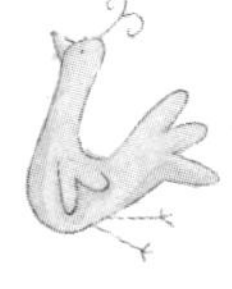

Y cyfan oedd ar ôl bellach oedd prynu pâr newydd o deits.

Erbyn hyn roedd Siriol yn gwybod nad oedd pwynt gofyn am bâr o deits pinc, streipiog. Wedi'r cwbl, roedd hi'n dylwythen fodern, ffasiynol a phrysur!

Gan gydio'n falch yn ei bagiau, gofynnodd am rywbeth na fyddai wedi breuddwydio y byddai am ei gael mewn miloedd o flynyddoedd. Gofynnodd am bâr o deits streipiog du a gwyn. Gwenodd y dylwythen arni ac estyn pâr iddi ar unwaith. 'Mae'n rhaid ei bod hi'n gallu gweld fy mod i'n ffasiynol,' meddyliodd Siriol.

Roedd Siriol wedi blino'n lân erbyn iddi gyrraedd adref gyda'i dillad newydd. Efallai bod rhai o'r pethau'n fach, ond roedden nhw'n teimlo'n drwm. Penderfynodd

wneud mẁg mawr o siocled poeth gyda hufen ychwanegol a siwgr i roi nerth iddi. Yna byddai'n gwisgo'i dillad newydd i weld sut olwg oedd ar y Siriol Swyn newydd.

* * *

A hithau'n teimlo'n well ar ôl y siocled poeth, aeth Siriol ati i ddadbacio'i siopa. Yn gyntaf tynnodd allan y ffrog a brynodd o siop Miss Tylwythen, yr un roedd Bethan Befriog yn ei gwisgo. Roedd y ffrog yn hir iawn ac yn ddu iawn. Edrychodd Siriol ar y llun o

Bethan ac yna arni hi ei hun yn y drych.

Roedd Bethan yn edrych yn brydferth, yn urddasol ac yn smart wrth iddi ledorwedd ar soffa yn gwisgo'r ffrog.

Roedd Siriol yn edrych – ac yn teimlo – yn anghyfforddus iawn. Roedd hi'n cael trafferth plygu i lawr i wisgo'i theits newydd. Pan lwyddodd i'w gwisgo, dyna sioc! Roedd y teits yn ddu a gwyn, oedden, ond doedd y streipiau ddim yn mynd ar draws, ond i fyny ac i lawr! Teimlai Siriol ei bod hi'n edrych yn debycach i losinen fawr ddu a gwyn nag i dylwythen urddasol fel Bethan Befriog.

Doedd cynllun Siriol ddim yn gweithio. Roedd yr adenydd micro mor fach nes eu bod nhw'n neidio o'i dwylo. Ar ôl llawer o droi a throsi, llwyddodd o'r diwedd i'w gwisgo. Nawr i roi cynnig arnyn nhw!

Hedfanodd Siriol at y nenfwd. Gan fod yr adenydd mor fach, roedd yn rhaid iddyn nhw siffrwd ddwywaith mor gyflym â'i hadenydd arferol i gyrraedd yr un uchder. Clywodd sŵn suo erchyll, fel petai pryfyn yn gaeth yn y golau.

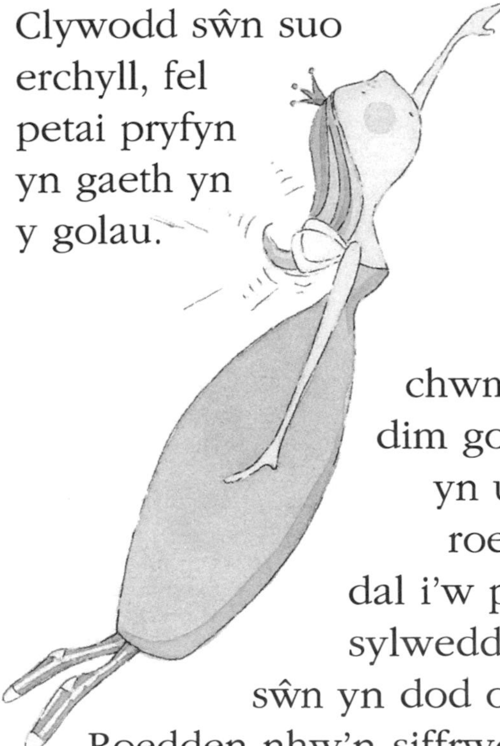

Edrychodd Siriol o'i chwmpas. Doedd dim golwg o bryfyn yn unman, ond roedd y sŵn yn dal i'w phoeni. Yna sylweddolodd fod y sŵn yn dod o'i hadenydd! Roedden nhw'n siffrwd mor gyflym nes eu bod nhw'n suo! Roedd ei hadenydd micro ffasiynol newydd yn gwneud sŵn fel gwenynen enfawr!

* * *

Pan gyrhaeddodd yn ôl i'r llawr, estynnodd Siriol y ffon hud fach, oedd yn amhosibl i'w chwifio, o'r bag a gwisgo'r goron. Roedd honno mor fach nes ei bod yn llithro oddi ar ei phen drwy'r amser.

Edrychodd Siriol ar ei hun yn y drych unwaith eto.

Roedd yn gwisgo ffrog nad oedd hi'n gallu symud ynddi.

Pâr o adenydd nad oedd hi'n gallu hedfan ynddyn nhw.

Ffon hud nad oedd hi'n gallu ei chwifio.

Coron oedd yn llithro oddi ar ei phen.

A phâr o deits oedd yn gwbl ych a fi.

Canodd cloch y drws.

Doedd Siriol ddim hyd yn oed yn gallu cerdded at y drws. Roedd ei ffrog mor hir a chul, nes bod yn rhaid iddi neidio i fyny ac i lawr i gyrraedd yno. Cymerodd gymaint o amser iddi gyrraedd at y drws nes bod rhywun wedi canu'r gloch unwaith eto.

Pan agorodd hi'r drws, syllodd Poli, Moli a Mali ar eu ffrind am eiliad cyn chwerthin yn uchel.

'Beth WYT ti'n ei wisgo?' holodd Poli, yn crio wrth chwerthin gymaint.

'Wyt ti ar dy ffordd i barti gwisg ffansi?' gofynnodd Moli rhwng pyliau o giglan.

Felly esboniodd Siriol ei bod wedi gweld llun o Bethan Befriog yn

Y Dylwythen Drendi a'i bod hithau am fod yn dylwythen ffasiynol, brysur, ond nawr roedd hi'n dylwythen ffasiynol oedd yn methu symud a doedd hi ddim yn hoffi'r Siriol newydd gystal â'r hen un.

'Beth sy gan Bethan Befriog sy ddim gen i?' gofynnodd Siriol, oedd erbyn hyn yn chwerthin gymaint â'i ffrindiau.

Roedd Moli wedi bod yn darllen yr erthygl wrth i Siriol adrodd hanes y siopa, a phwyntiodd at y llun o Bethan.

'Does dim rhyfedd ei bod hi'n gorwedd ar soffa,' meddai. 'Dyw hi ddim yn gallu sefyll, siŵr o fod!'

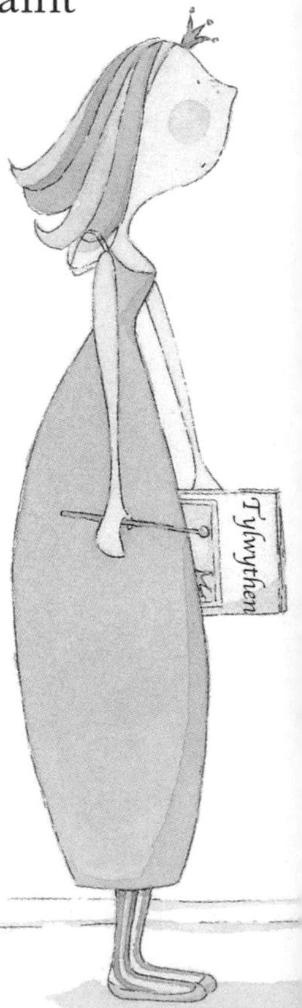

'*Roedd* hi'n sefyll, efallai, ond baglodd a glanio ar y soffa, a nawr dyw hi ddim yn gallu symud!' ebychodd Poli.

Pan ddangosodd Siriol yr adenydd micro â'u suo uchel, erfyniodd y lleill arni i roi'r gorau iddi. Roedden nhw'n chwerthin cymaint nes bod eu boliau'n brifo!

Daeth Mali draw at Siriol a chydio ynddi. Cofleidiodd hi mor dynn, fel bod coron fach Siriol wedi cwympo oddi ar ei phen.

'Siriol,' meddai, 'rydyn ni'n dy garu di fel wyt ti. Dydyn ni ddim *eisiau* gweld Siriol newydd – rydyn ni'n hoffi'r hen un!'

'Fyddai Bethan Befriog ddim hanner gymaint o hwyl â ti, nac yn gystal ffrind,' ychwanegodd Poli. 'Beth sy ar y tu mewn sy'n bwysig, nid ar y tu allan!'

'Beth wna i â'r dillad yma i gyd?' gofynnodd Siriol, gan edrych i lawr ar ei choesau du a gwyn.

'Awn ni â nhw'n ôl fory,' dywedodd Mali. 'Rwy'n siŵr na fydd hynna'n broblem. Yn y cyfamser, mae gen ti bum munud i newid o'r holl ddillad du yna, a gwisgo rhywbeth pinc, er mwyn i ni gael mynd allan am hufen iâ!'

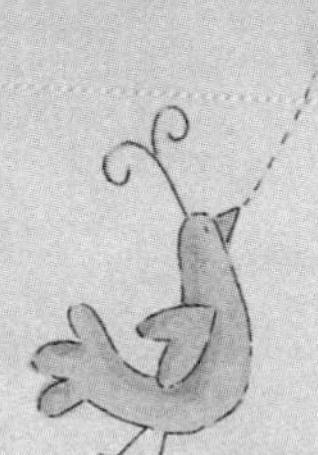

Does dim gwahaniaeth
beth sy ar
y tu allan –

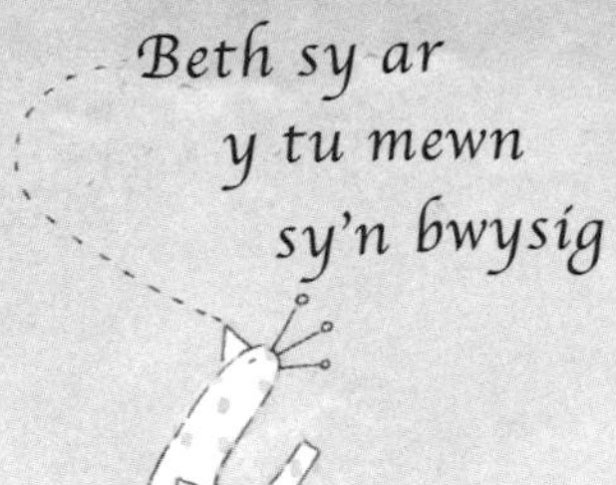

Beth sy ar
y tu mewn
sy'n bwysig

Argyfwng Addurno

Roedd Siriol Swyn a'i ffrindiau'n ymlacio ar wely Siriol, ac yn cynllunio sut i dreulio'u gwyliau hanner tymor o Ysgol y Naw Dymuniad. Roedd ganddyn nhw wythnos – digon o amser i gael hwyl!

'Felly,' holodd Poli, 'beth wnawn ni? Siopa, siopa neu fwy o siopa?'

'Rwy'n credu,' meddai Siriol, gan edrych o gwmpas ei hystafell wely, 'fy mod i am ailaddurno.'

'Ti'n meddwl bod angen?' gofynnodd Moli, gan fodio drwy gylchgrawn heb edrych i fyny. Doedd addurno ddim yn swnio'n hwyl o gwbl i Moli. Mewn gwirionedd, roedd unrhyw beth lle'r oedd angen gwaith caled yn swnio'n syniad gwael dros ben.

'Dyw e ddim yn fater o *angen*,' meddai Siriol yn gadarn. 'Rwy'n teimlo fel newid.'

'Bydde fe'n drueni tynnu'r papur wal hyfryd yma,' meddai Mali. 'Mae'n edrych yn newydd sbon i fi.'

Edrychodd Poli ar y nenfwd. 'Alla i weld darn o bapur yn dod oddi ar y wal – draw fan'na yn y gornel.'

'Chi'n gweld!' ebychodd Siriol yn fuddugoliaethus. 'Mae angen ail-wneud yr ystafell!'

'Dim ond ychydig o lud sydd ei angen!' meddai Moli, oedd yn dechrau teimlo'n bryderus. 'Rho'r glud arno fe nawr, yna fe awn ni i siopa a gawn ni feddwl am addurno'n nes ymlaen!'

Aeth Siriol i nôl y Glud Godidog a hedfanodd Poli at y nenfwd i edrych ar y difrod. Mewn un cornel roedd darn bach o bapur wal wedi dod yn rhydd o'r wal.

'Beth amdani, Siriol?' gwaeddodd Poli i lawr. 'Ydyn ni'n addurno ai peidio?'

Meddyliodd Siriol am yr holl waith fyddai angen ei wneud cyn i'r hwyl ddechrau: symud y celfi, tynnu posteri i lawr, tynnu'r llenni i lawr, cuddio'r carped, golchi'r waliau. Er bod ganddi ffrindiau i'w helpu, falle y byddai'n well syniad aros tan y gwyliau haf hir.

‘Gluda fe!’ gwaeddodd Siriol. ‘Gallwn ni adael yr addurno am y tro.’

Diolch byth, meddai Moli wrthi’i hun, gan fynd yn ôl i ddarllen y cylchgronau.

Gwasgodd Poli ychydig o’r Glud Godidog o’r tiwb, ond doedd hi ddim yn gallu ei stopio. Roedd y glud yn dod allan o’r tiwb mewn un llanast gludiog mawr. Doedd dim posibl ei atal.

'Mae'r glud yn mynd yn wyllt! Dydw i ddim yn gallu ei stopio rhag dod allan o'r tiwb!' gwaeddodd Poli i lawr at ei ffrindiau.

'Rho fe ar y papur wal, Poli!' bloeddiodd Siriol.

'Rho'r caead yn ôl arno fe!' sgrechiodd Mali.

Roedd Moli'n dechrau cael cur pen.

* * *

Roedd y glud ym mhobman. Roedd popeth roedd Poli'n cyffwrdd ynddo wedi'i orchuddio â glud ych a fi.

'Rwy'n hedfan yn ôl i lawr!' gwaeddodd Poli. 'Mae digon o lud fan hyn i ludo gliter ar bob ffon hud yn Nhre'r Blodau!'

Ond wrth i Poli hedfan i lawr, clywodd sŵn rhwygo ofnadwy.

Yng nghanol y llanast gludiog, roedd cornel o adain dde Poli wedi mynd yn sownd i'r wal. Ac roedd papur wal ystafell Siriol yn hongian y tu ôl iddi fel clogyn papur mawr!

'Aaaaa . . !' sgrechiodd Poli wrth iddi landio'n glewt ar y carped, gyda'r papur wal yn syrthio ar ei phen fel blanced enfawr, sticlyd.

'O diar,' meddai Moli wrth i'r tylwyth teg ruthro draw at eu ffrind ar y llawr.

Gyda stribyn hir o bapur wal bellach yn gorchuddio Poli yn hytrach na'r wal, doedd ganddyn nhw ddim dewis ond ailaddurno'r ystafell wedi'r cyfan.

Erbyn hyn roedd yr ystafell yn un cawdel mawr, felly penderfynodd Mali, Poli a Siriol fynd ati ar unwaith i dynnu gweddill y papur oddi ar y wal wrth i Moli orchuddio'r celfi gyda chynfasau mawr, gwyn. Defnyddion nhw'r sêr ar eu ffyn hud i dynnu darnau bach o bapur oedd yn sownd ar y wal, ac yna hedfan o gwmpas yr ystafell yn tynnu stribedi fel baneri papur hir.

Ar ôl gorffen, casglon nhw'r holl ddarnau a'u rhoi nhw yn y bin. Yna cafodd pawb gwpaned o siocled poeth a chychwyn am siop Papur a Phaent i chwilio am rywbeth arbennig i addurno ystafell Siriol.

* * *

Roedd y siop yn brysur ac yn llawn tylwyth teg yn prynu papur a phaent o bob math a lliw.

Roedd yno bapur wal â streipiau'n mynd i fyny ac i lawr, a streipiau'n mynd o ochr i ochr. Papur wal â sgwariau mawr, a phapur â sgwariau oedd mor fach nes bod eich llygaid yn drysu. Roedd yno bapur wal â sêr oedd yn goleuo yn y nos – roedd hwnnw'n gwneud i chi deimlo fel pe baech chi'n cysgu yn yr awyr agored – a phapur wal pefriog fyddai'n eich deffro yn y bore wrth i'r haul ddisgleirio arno drwy'r llenni. Roedd cymaint o ddewis!

Yna gwelodd Siriol batrwm oedd wrth ei bodd. Roedd yn binc golau gyda rhosod pinc tywyll enfawr, yr un maint â phlatiau cinio, arno. Roedd Siriol yn meddwl ei fod yn hyfryd. Doedd y lleill ddim mor siŵr.

'Dwyt ti ddim yn meddwl bod y rhosod yna ychydig yn – wel – *fawr*?' meddai Mali, gan edrych yn amheus ar y patrwm.

'Maen nhw'n anferth!' meddai Poli. 'Llawer rhy fawr ar gyfer dy ystafell di, Siriol. Beth am rywbeth ychydig yn ysgafnach?'

Ond roedd Siriol eisoes wedi cydio mewn rholiau o'r papur. Doedd hi ddim am newid ei meddwl.

Felly casglodd ei ffrindiau frwshys, bwced a glud papur wal – a het galed i Moli (oedd yn poeni am ei gwallt) – ac yna'n ôl â phawb i dŷ Siriol.

Y broblem gyntaf oedd dod o hyd i fwrdd oedd yn ddigon hir ar gyfer y papur wal.

Awgrymodd Moli y dylen nhw ddefnyddio'r bwrdd smwddio, oedd yn bell o fod yn berffaith, ond pe bai Mali'n dal pen y papur yn ofalus, falle bydde fe'n gweithio.

Agorodd Poli'r pecyn o lud papur wal a thisian mor galed nes iddi ychwanegu gormod o bowdr i'r bwced o wlith y bore gan wneud y glud yn llawn lympiau, fel uwd. Doedd hyd yn oed cymysgu a throi gyda'i ffon hud ddim yn gwneud unrhyw wahaniaeth.

Torrodd Moli stribyn hir o'r papur wal a'i osod ar y bwrdd smwddio. Brwsiodd Siriol y glud lympiog ar ei gefn. Gyda chymaint o lud arno roedd y papur yn drwm iawn, a chafodd Mali, Poli a Siriol drafferth i'w godi a hedfan at y nenfwd i'w osod yn ei le.

Doedd Moli ddim yn hoffi uchder, felly arhosodd hi ar y llawr yn galw cyfarwyddiadau.

'I fyny ychydig, i'r chwith, i'r dde – hongian!'

Hedfanodd y tair i fyny ac i lawr gan geisio gosod y papur yn llyfn, ac yna safodd pawb yn ôl i edrych ar y gwaith.

Yn wir, roedd y rhosod yn anferthol. Roedd Mali'n iawn, roedden nhw lawer yn rhy fawr i ystafell wely fach glyd Siriol. Ond, yn fwy pryderus, roedd canol y papur wal yn bochio allan.

Edrychodd y ffrindiau ar ei gilydd yn syn.

'Beth yw hwnna?' gofynnodd Moli.

‘Wnaethon ni lyfnhau’r top, yn do?’ meddai Mali wrth Siriol.

‘A gwnaeth Poli a fi’r gwaelod . . .’ meddai Moli.

Ond doedd neb wedi gwneud y canol!

Edrychodd y tylwyth teg yn ofalus ar y lwmp. Roedd yn fawr ac yn galed, a’r un siâp â brwsh.

‘Ry’n ni wedi papuro dros y brwsh gludo!’ giglodd Siriol.

Chwarddodd y ffrindiau dros bob man. Byddai’n rhaid dechrau eto! Ond roedd Siriol wedi cael digon o’r papur wal â’r rhosod anferthol a’r lympiau rhyfedd.

‘Dim ond un stribyn rydyn ni wedi’i wneud. Mae’n drychineb, a dydw i ddim yn hoffi’r patrwm wedi’r cyfan. Beth am fynd ag e ’nôl a phrynu paent yn ei le?’

‘Ond Siriol,’ atebodd y tair arall, ‘rwyt ti wastad yn dweud bod waliau plaen yn ddiflas!’

'Mae hawl gan dylwythen deg i newid ei meddwl!' atebodd Siriol, gan gasglu'r rholiau papur cyn cychwyn unwaith eto am Siop Papur a Phaent.

Roedd hyd yn oed mwy o ddewis o liwiau paent nag oedd o batrymau papur wal, ond roedd y tylwyth teg yn gwybod yn union pa liw fyddai Siriol yn ei ddewis. Pinc. Y cwestiwn oedd, pa binc?

Roedd yna binc llychlyd hyfryd, yr un lliw â rhosod Mali, pinc dwfn bendigedig fyddai'n cyd-fynd yn union â dillad gwely Siriol, pinc ysgafn, arbennig iawn, oedd fel pe bai'n tywynnu, a phinc hefyd oedd yn atgoffa Siriol o hufen iâ blas mefus.

'O, maen nhw i gyd yn hyfryd! Sut alla i ddewis un?' ochneidiodd Siriol, wrth iddi edrych ar y tuniau paent. Caeodd ei llygaid a dweud, 'Rwy'n gweld, gyda fy llygad bach ar gau . . .'

'Siriol! Nid dyna'r ffordd i ddewis lliw!' meddai Mali, yn syn.

'Dyma'r ffordd orau,' atebodd Siriol. 'Does dim y fath beth â phinc annymunol, felly fe fydd pa un bynnag y bydda i'n ei ddewis yn berffaith.'

Caeodd ei llygaid a dechrau eto gan bwyntio ar hap at y tuniau.

'Rwy'n gweld, gyda fy llygad bach ar gau, rhyw liw yn dechrau â P!' Arhosodd bys Siriol ar liw pinc lelog hyfryd o'r enw 'Gwrid y Machlud'.

Roedd yn berffaith.

Estynnodd pob un frwsh, rholer a phot o baent gwyn ar gyfer y pren,

ac am yr ail dro y diwrnod hwnnw, aeth pawb yn ôl i dŷ Siriol i ddechrau ar y gwaith addurno.

Roedd peintio'n llawer mwy o hwyl na phapuro, ac yn fuan iawn roedd y tylwyth teg wedi gorchuddio'r waliau â chot o baent 'Gwrid y Machlud'. Roedden nhw hefyd wedi gorchuddio'u hunain â haen o baent. Er bod y tun yn dweud 'dim diferion', doedd e ddim yn dweud 'dim tasgu', a chyn bo hir roedd pawb yn edrych fel pe bai brech yr ieir arnyn nhw!

Ar ôl i Moli beintio'r gwaith pren yn wyn, roedd yr ystafell wedi'i gorffen. Roedd yn edrych yn hyfryd.

'Mae'n fendigedig, Siriol,' meddai Poli.

'Roedd dy ffordd di o ddewis lliw yn iawn wedi'r cyfan,' cytunodd Mali.

Roedd Siriol yn dawel iawn.

'Dwyt ti ddim yn hoffi dy ystafell newydd?' gofynnodd Moli'n flinedig. '*Plîs* dweda dy fod yn ei hoffi.'

'Ydw,' mwmiodd Siriol, gan edrych ar ei thraed. Beth oedd celwydd golau bach er mwyn arbed teimladau ei ffrindiau?

Ond roedd ei ffrindiau'n ei hadnabod hi'n rhy dda, ac roedd ei hwyneb yn dweud y cyfan. Edrychodd Poli arni fel pe bai'n gofyn 'wyt ti'n siŵr?'

'Onest . . . ydw . . . mae'n hyfryd . . .' meddai Siriol yn betrus. 'Ond ar ôl y papur wal, mae'r waliau'n edrych braidd . . . wel . . . yn *blaen*.'

Nawr, tro ei ffrindiau oedd bod yn dawel. Edrychon nhw arni, a'u hwynebau'n baent i gyd.

'Hynny yw,' meddai Siriol wrth weld siom ei ffrindiau, 'rwy'n caru'r lliw, ond mae e ychydig yn . . . ym . . . *ddiflas*. Mae angen patrwm.'

Ochneidiodd y tylwyth teg. Taflodd Moli ei hun ar y gwely.

'Ar adegau fel hyn, hoffwn i petawn i wedi graddio o Ysgol y Naw Dymuniad,' griddfanodd. 'Pe bawn i'n dylwythen deg go iawn, fe fyddwn i'n gallu chwifio fy ffon hud a thrawsnewid dy ystafell di yn union fel hoffet ti iddi fod. Gallet ti newid dy feddwl ganwaith, a bydde dim ots.'

'Dwyt ti ddim yn meddwl y bydde hynny'n wastraff dymuniad?' meddai Poli. Un o'r gwersi cyntaf iddyn nhw ei dysgu yn ysgol y tylwyth teg oedd pa mor bwysig oedd defnyddio dymuniadau'n ddoeth. Doedd Poli ddim yn siŵr y byddai gwneud yn siŵr fod y papur wal a'r paent cywir gan Siriol yn cyfrif fel dymuniad doeth.

Meddyliodd Moli am eiliad. 'Mae

addewid y tylwyth teg yn dechrau drwy ddweud: "Rwy'n addo gofalu am fy nymuniadau, a'u defnyddio'n ddoeth i helpu eraill." Bydden ni'n defnyddio dymuniad i helpu Siriol.'

'Ond wyt ti'n siŵr mai helpu Siriol fyddai'r unig reswm?' holodd Poli'n bryderus. 'Cofia, mae'r addewid yn mynd yn ei flaen: "Peidio â'u defnyddio byth er mwyn fy lles i fy hun. A gwneud fy ngorau i gadw addewid y Tylwyth Teg." Byddai trawsnewid ystafell Siriol yn golygu llai o waith i ni. Mae hynny'n siŵr o fod yn golygu defnyddio dymuniad er ein lles ni ein hunain.'

Yn sydyn cafodd Mali syniad. 'Rwy'n gwybod! Mae 'na ffordd i ni ddefnyddio ein ffyn hud i newid ystafell Siriol heb wneud dymuniad. Moli, oes 'na baent gwyn ar ôl?'

Pasiodd Moli'r tun i Mali, a rhoddodd hi flaen ei ffon yn ofalus yn y paent. Yna cyffyrddodd y wal yn ofalus â'i ffon gan wneud

smotyn gwyn perffaith. Yna rhoddodd un o begynau'r seren yn y paent a gwneud wyth smotyn bach o gwmpas y smotyn mawr. Safodd yn ôl i adael i Poli, Moli a Siriol weld. Roedd hi wedi peintio blodyn bach gwyn perffaith.

'Mali!' ebychodd Siriol gan gofleidio'i ffrind. 'Mae hwnna'n wych! Rwyt ti mor glyfar.'

Trodd wyneb Mali yn liw digon tebyg i'r paent 'Gwrid y Machlud' ac meddai, 'Beth am ddefnyddio ein ffyn hud i orchuddio'r waliau i gyd?'

Felly treuliodd y pedair ffrind weddill y diwrnod prysur yn peintio blodau ar y waliau gyda'u ffyn. Pan orffennon nhw'r gwaith o'r diwedd, gyda'r waliau'n llawn blodau, roedd Siriol mor hapus. Nid yn unig roedd ganddi ystafell wely binc fendigedig, ond roedd pob blodyn wedi'i beintio'n ofalus gan y ffrindiau roedd hi'n eu caru fwyaf. Byddai pob blodyn bach yn ei hatgoffa bob dydd pa mor lwcus oedd hi i gael ffrindiau mor dda!

Mae ffrindiau'n gwneud
yr amhosibl
yn bosibl

Syrpreis Sglefrio

Canodd cloch y drws sawl tro cyn i Siriol lwyddo i'w ateb.

'Rwy'n dod! Ar fy ffordd!' galwodd. Roedd rhywun ar frys mawr i'w gweld hi. Pan agorodd y drws o'r diwedd, dyna lle'r oedd Mali a Poli yn sefyll ar stepen y drws. Roedd golwg gyffrous arnyn nhw, a'r ddwy'n cario'u hesgidiau sglefrio dros eu hysgwyddau.

'Siriol! Brysia! Cer i nôl dy esgidiau sglefrio,' meddai Mali'n frwd.

'Mae'r ganolfan sglefrio wedi agor am y tro cyntaf y gaeaf yma. Bydd llond y lle o bobl yno unwaith bydd pawb wedi clywed y newyddion.'

Roedd Poli yr un mor gyffrous. 'Os brysiwn ni, gallwn ni dreulio'r prynhawn cyfan yn sglefrio,' meddai. 'Mae Moli'n cwrdd â ni yna ymhen ugain munud.'

Sglefrio! Roedd Siriol wrth ei bodd yn sglefrio. Roedd hi'n ysu am gael mynd ar yr iâ.

'Dewch i mewn tra 'mod i'n dod o hyd i fy esgidiau sglefrio,' meddai wrth ei ffrindiau, oedd yn amlwg ar bigau'r drain ac ar frys mawr i fynd i sglefrio.

Dechreuodd Siriol edrych am ei hesgidiau sglefrio yn y cwpwrdd, wrth i Mali fynd 'mlaen a 'mlaen yn dweud ei hanes yn mynd â'i llyfr ar blanhigion trofannol 'nôl i'r llyfrgell.

Doedd y llyfr ddim i fod yn ôl am ychydig ddyddiau eto, ond gan ei fod mor ddiddorol roedd hi wedi'i orffen yn barod.

A heblaw ei bod hi wedi mynd ag e 'nôl yn gynnar, fyddai hi ddim wedi cerdded heibio'r ganolfan sglefrio a gweld Tylwythen y Barrug yn gosod arwydd 'Ar Agor' wrth y fynedfa . . .

* * *

Roedd cwpwrdd Siriol yn orlawn o bob math o geriach. Roedd yno racedi tennis heb linynnau, ond a fyddai'n gwneud gitarau gwych ar gyfer parti gwisg ffansi; sawl pâr o esgidiau bale oedd wedi mynd yn rhy fach, ond doedd hi ddim yn fodlon eu taflu; un esgid law, oedd yn cael ei chadw rhag ofn iddi ddod o hyd i'r llall; coes ffon hud oren erchyll, o'r cyfnod pan oedd hi'n hoffi popeth oren; nifer o sêr heb goesau ffyn, ond a allai fod yn ddefnyddiol un diwrnod; ac ymbarél mawr nad oedd modd ei agor, oedd yn ymladd am le gyda llinyn barcud na ddaeth yn ôl i lawr i'r ddaear. Popeth, mewn gwirionedd, ar wahân i bâr o esgidiau sglefrio.

'Rwy'n siŵr eu bod nhw yma'n rhywle,' meddai wrth ei ffrindiau, oedd yn dechrau colli amynedd. Y cwestiwn oedd, yn lle?

'Maen nhw'n siŵr o fod gyda'r esgid law yna sydd ar goll,' meddai Poli. Doedd hynny'n ddim help o gwbl i Siriol.

Edrychodd Siriol ym mhob cwpwrdd oedd ganddi a thynnu pob drâr yn y tŷ allan. Edrychodd o dan y gwely a dod o hyd i nifer o barau o deits roedd hi'n meddwl ei bod wedi'u colli.

Hedfanodd i ben y wardrob lle daeth o hyd i'w dyddiadur cyfrinachol. Roedd wedi'i roi mewn lle mor gyfrinachol fel nad oedd hi ei hun, hyd yn oed, wedi gallu dod o hyd iddo ers wythnosau. Y tu ôl i'r soffa daeth o hyd i'w phrosiect ar Dylwyth Teg Enwog drwy Hanes oedd ar ei hanner, ac yng nghwpwrdd y gegin roedd cacen oedd mor hen fel ei bod hi bron yn ffosil.

Ond doedd dim sôn am yr esgidiau sglefrio. Dim hyd yn oed carrai wedi torri!

Doedd dim un man ar ôl i chwilio.

'Paid â phoeni,' meddai Mali, nad oedd yn fodlon aros am un eiliad arall. 'Gei di fenthyg rhai yn y ganolfan.'

* * *

Roedd y ganolfan eisoes yn brysur pan gyrhaeddon nhw. Roedd tylwyth teg yn rhuthro i bob cyfeiriad, yn gwisgo'u hesgidiau, yn tynhau'r careiau ac yn symud yn ofalus i gyfeiriad yr iâ pefriog. Roedd un dylwythen eisoes ar yr iâ yn sglefrio'n chwim, gan droi'n gyflym a thasgu crisialau bach o iâ i bob cyfeiriad.

'Mae honna'n dangos ei hun,' meddyliodd Moli wrth iddi godi llaw ar ei ffrindiau. Daethon nhw draw ati.

Roedd Moli'n synnu o weld nad oedd Siriol wedi dod â'i hesgidiau sglefrio gyda hi, ond ddywedodd hi 'run gair.

'Does gen i ddim syniad ble mae fy esgidiau sglefrio,' esboniodd Siriol. 'Rwy'n mynd i fenthyg rhai.'

Roedden nhw wedi cymryd gymaint o amser i chwilio am esgidiau Siriol nes bod y cylch sglefrio erbyn hyn yn orlawn. Erbyn iddyn nhw gyrraedd blaen y ciw, roedd

y rhan fwyaf o'r esgidiau sglefrio eisoes wedi'u benthyca.

‘Pa faint esgidiau wyt ti?’ holodd y dylwythen y tu ôl i’r ddesg.

‘Wythfed ran o ffon hud safonol,’ meddai Siriol gan edrych dros ysgwydd y dylwythen ar y rhesi o silffoedd oedd bron yn wag.

‘Dim lwc, mae arna i ofn,’ meddai’r dylwythen. ‘Y maint agosaf yw degfed ran o ffon gryno, ond wrth gwrs mae hwnnw’n fwy cul. Bydd yn rhy fach o lawer i ti.’

Roedd Siriol yn benderfynol o sglefrio gyda’i ffrindiau. ‘Byddan nhw’n iawn,’ meddai’n hyderus.

Ond doedden nhw ddim.

Cafodd drafferth i gael ei thraed i mewn i’r esgidiau bach bach, hyd yn oed ar ôl iddi dynnu’i theits. Pan lwyddodd i gael y ddwy droed i mewn o’r diwedd, roedd symud yn anodd iawn. Roedd bodiau ei thraed wedi’u gwthio i’r pen draw a’r careiau’n rhy fyr iddi allu eu clymu. A heb ei theits cynnes, roedd ei choesau'n oer ac yn groen gŵydd drostynt i gyd. O diar, meddai Siriol wrthi'i hun, mae'r rhain yn anobeithiol.

Aeth â'r esgidiau 'nôl at y dylwythen wrth y cownter. Edrychodd honno arni fel pe bai am ddweud, 'Ddwedais i, yn do!'

'Gan nad oes 'na esgidiau sglefrio yn fy maint i, rwy'n credu y byddai'n well i mi gael pâr sy'n rhy fawr nag un sy'n rhy fach. Alla i wastad gwisgo pâr arall o sanau!' dywedodd wrth y dylwythen. Estynnodd honno y pâr hiraf o esgidiau sglefrio welodd Siriol erioed, ynghyd â phentwr o hen sanau.

Gwisgodd Siriol y pedwar pâr o sanau (doedd hi ddim am boeni heddiw sut roedd hi'n edrych), ond roedd yr esgidiau'n dal i fod yn rhy fawr o lawer iddi. Troediodd yn ofalus i gyfeiriad yr iâ. Roedd Moli, Mali a Poli wedi ymuno â chynffon hir o dylwyth teg oedd yn sglefrio o gwmpas y cylch. Estynnodd Mali ei llaw a chydiodd Siriol ynddi i'w thynnu i mewn i'r rhes.

Ar y dechrau, roedd popeth yn iawn. Roedd y rhes yn nadreddu'n araf o gwmpas y cylch, ac er bod Siriol yn cael trafferth codi'i thraed, heb sôn am eu pwyntio y ffordd iawn, y cyfan oedd angen iddi ei wneud oedd gafael yn dynn yn Mali. Ond wrth i'r tylwyth teg deimlo'n fwy hyderus, roedden nhw'n sglefrio'n gyflymach. Gan giglo a gwichian, roedden nhw'n symud dros yr iâ'n gynt ac yn gynt.

Erbyn hyn, y cyfan roedd Siriol yn gallu ei wneud oedd dal yn dynn a gobeithio'r gorau. Roedd ei hesgidiau mor drwm a'i thraed mor hir nes bod ganddi 'run syniad i ba gyfeiriad roedden nhw'n wynebu.

Ond yn y diwedd, aeth y cyfan yn ormod iddi. Gwibiodd y rhes i gyfeiriad y gornel, ond doedd Siriol ddim yn gallu troi'i thraed yn ddigon cyflym. Daeth y gornel yn nes ac yn nes,

ac roedd y rhes o sglefrwyr yn mynd yn gyflymach ac yn gyflymach, ond roedd traed Siriol yn teimlo fel blociau hir o goncrit. Wrth i'r gornel ddod yn nes gwaeddodd yn uchel, 'Mae 'nhraed i'n mynd i bobman!'
Gollyngodd Mali ei llaw mewn syndod, a saethodd Siriol yn ei blaen mor gyflym nes iddi fynd drwy'r bwlch yn ochr y cylch, ar draws y carped, a glanio ar gadair yn y caffi.

Rhuthrodd y tylwyth teg eraill oddi ar yr iâ i wneud yn siŵr ei bod hi'n iawn. Doedd Siriol yn ddim gwaeth, ond roedd yn teimlo'n embaras braidd.

Felly fe eisteddon nhw ac yfed mygiau o siocled poeth a hufen, gan syllu ar esgidiau Siriol. Doedden nhw erioed wedi gweld pâr mor fawr, nac yn gallu dychmygu pa fath o dylwythen deg fyddai'n eu gwisgo. Nid Siriol, roedd hynny'n bendant! Byddai'n rhaid i'r esgidiau sglefrio fynd yn ôl.

'Trueni nad oes yr un ohonon ni yr un maint a ti,' meddai Moli, 'neu fe allen ni gymryd tro i roi benthyg ein hesgidiau i ti.'

Yna cafodd Siriol syniad oedd, yn ei barn hi, yn un gwych.

'Gallwn i hedfan uwch eich pennau chi wrth i chi sglefrio, ac wedyn fe fydda i'n gallu rhannu'r hwyl. Gallwn ni fwynhau'r dydd gyda'n gilydd.'

* * *

Ond doedd syniad Siriol ddim mor wych wedi'r cyfan.

Aeth Mali, Moli a Poli'n ôl at yr iâ, gyda Siriol yn hedfan uwch eu pennau. Roedd y cylch yn swnllyd iawn – lleisiau tylwyth teg yn clebran, llafnau'r esgidiau'n torri drwy'r iâ, a cherddoriaeth yn chwarae yn y cefndir.

Hedfanodd Siriol o gwmpas y cylch unwaith neu ddwy gan ddilyn ei ffrindiau, ond roedd yn rhy swnllyd iddi allu clywed beth oedden nhw'n ei ddweud. Roedden nhw'n clebran ac yn giglan ac yn chwifio ar Siriol. Chwifiodd Siriol yn ôl, ond roedd hi am glywed am beth roedd ei ffrindiau'n siarad. Roedden nhw'n cael y fath hwyl!

Gan nad oedd Siriol yn gallu clywed yn iawn beth oedd yn cael ei ddweud, hedfanodd ychydig yn is. Ond roedd hi'n dal i fethu clywed, felly hedfanodd hyd yn oed yn is fyth. Mor isel mewn gwirionedd nes bod ei sgert yn cuddio pen Mali. Doedd Mali druan ddim yn gallu gweld unrhyw beth. Yn fuan iawn, baglodd gan dynnu'i ffrindiau i lawr ar yr iâ.

'Beth am fynd adre?' meddai Poli, gan frwsio'r iâ oddi ar ei ffrog a helpu Mali i roi trefn ar ei hadenydd cam. 'Gallwn ni ddod yn ôl rywdro arall, pan fydd Siriol wedi dod o hyd i'w hesgidiau sglefrio.'

'Mae'n wir ddrwg gen i,' meddai Siriol. 'Hoffwn i petawn i'n gallu creu pâr o esgidiau hud o'r maint iawn.'

'Siriol!' ebychodd Poli'n syn. 'Rwyt ti'n gwybod yn iawn nad oes hawl 'da ti i wneud dymuniadau drosot ti dy hun!'

'Dwi ddim yn meddwl bod dweud "hoffwn i petawn i'n gallu" yn cyfri fel dymuniad,' atebodd Moli, oedd yn credu mai pethau i'w torri oedd rheolau.

'Falle ei fod e,' meddai Poli, oedd yn credu bod rheolau'n bodoli am reswm da, hyd yn oed os nad oeddech chi bob amser yn gwybod beth oedd y rheswm hwnnw.

Roedden nhw newydd ddechrau ymarfer dymuniadau syml yn Ysgol y Naw Dymuniad, a hynny yng ngwersi Brenhines y Tylwyth Teg. Er hynny, roedd nifer o gamgymeriadau wedi digwydd. Wrth iddi ymarfer dymuniad i rwystro hufen iâ rhag toddi, rhewodd hufen iâ Siriol mor galed nes i'w thafod lynu wrtho pan geisiodd ei lyfu.

Bu'n rhaid i'r Frenhines wneud dymuniad i doddi'r hufen iâ ar unwaith, a phan ddigwyddodd hynny, gwnaeth lanast ar ffrog Siriol. Roedd pawb, ar wahân i Frenhines y Tylwyth Teg, yn meddwl bod hyn yn ddoniol iawn, ond roedd tafod Siriol yn boenus am ddyddiau wedyn.

Roedd Siriol yn benderfynol nad oedd hi'n mynd i ddifetha hwyl ei ffrindiau.

'Arhoswch chi yma, ac fe af i adre,' meddai'n bendant. 'Dewch draw i 'nhŷ i wedyn, ac fe gawn ni dost a mêl o flaen y tân.'

Datododd Siriol gareiau'r esgidiau, tynnu'i thraed allan, a thynnu'r pedwar pâr o sanau. Heb yr esgidiau, roedd ei thraed yn teimlo mor ysgafn â chwmwl, ond roedd ei chalon yn drwm wrth iddi adael ei ffrindiau. Gallai eu gweld yn sglefrio ar draws yr iâ unwaith eto, yn chwerthin ac yn cael hwyl. Roedd rhes newydd o dylwyth teg wedi ffurfio, a phawb yn cydio yn ei gilydd wrth nadreddu o gwmpas y cylch.

Ond, fel roedd Mali wedi'i ddweud, byddai digon o gyfle eto i sglefrio.

* * *

Wrth iddi adael y ganolfan sglefrio, pwy welodd Siriol ond Llywela. Roedd Llywela wedi graddio o Ysgol y Naw Dymuniad ac erbyn hyn roedd hi'n Dylwythen Rew, yn gyfrifol am droi'r gaeaf yn wanwyn a'r hydref yn aeaf. Gan fod Llywela'n hŷn ac eisoes yn dylwythen deg â phwerau hudol llawn, doedd Siriol ddim yn meddwl y byddai'n sylwi arni. Fyddai Llywela byth yn gwneud dim o'i le wrth greu dymuniadau, ac yn bendant ddim rhai oedd yn cynnwys hufen iâ!

Ond roedd Llywela *wedi* gweld Siriol a daeth draw am sgwrs.

'Helô, Siriol Swyn!' meddai. 'Wyt ti'n mynd yn barod?'

Roedd Siriol wedi'i synnu bod Llywela wedi aros i siarad â hi, a'i bod yn cofio'i *henw* hyd yn oed. Dechreuodd ddweud hanes yr esgidiau sglefrio coll wrth Llywela, a sut roedd hi'n meddwl ei bod wedi torri dau o reolau pwysicaf y tylwyth teg – peidio â defnyddio dymuniadau er eich lles eich hun, ac yn bendant peidio â'u defnyddio cyn eich bod yn gymwys i wneud – ac am y digwyddiad yn yr ysgol pan aeth ei thafod yn sownd mewn hufen iâ.

Gwenodd Llywela'n garedig ar Siriol.

'Mae pob tylwythen deg ifanc yn gwneud camgymeriadau wrth ddechrau yn ysgol y tylwyth teg – a hyd yn oed ar ôl gadael. Rwy'n gwybod 'mod i'n gwneud! Paid â phoeni am fod yn berffaith. Gwna dy orau glas bob amser – fedri di ddim gwneud mwy na hynny!'

Doedd Siriol ddim yn gallu credu bod Llywela'n gwneud dim byd ar wahân i greu dymuniadau perffaith bob tro, ond roedd yn dda clywed ei bod hithau'n cael dyddiau anodd!

'Ond fentra i na chollaist ti dy esgidiau sglefrio erioed,' meddai Siriol.

Chwarddodd Llywela ac edrych i lawr ar ei phâr sgleiniog hi.

'Wel na, byddai tylwythen rew heb esgidiau sglefrio'n drychineb! Mewn gwirionedd, rwy'n cario pâr sbâr gyda fi jest rhag ofn. Hoffet ti eu benthyg nhw? Wythfed ran o ffon hud safonol ydyn nhw. Wyt ti'n meddwl y byddan nhw'n gwneud y tro?'

‘Alla i ddim credu’r peth – dyna’n union y maint cywir! Gaf i eu benthyg nhw, wir?’ Roedd Siriol mor hapus nes ei bod yn neidio i fyny ac i lawr.

Estynnodd Llywela’r esgidiau iddi.

‘Paid ag anghofio dod â nhw’n ôl!’ meddai.

Wrth i Siriol ddiolch i Llywela, cofiodd yn sydyn lle’r oedd ei hen esgidiau sglefrio!

‘Fe wnes i eu benthyg nhw i dylwythen ifanc y llynedd wrth i mi adael y cylch sglefrio, ac mae’n rhaid ei bod hi wedi anghofio’u rhoi nhw’n ôl i fi!’ meddai.

Roedd Siriol ar fin rhedeg at ei ffrindiau pan alwodd Llywela ei henw. Trodd Siriol yn ôl.

‘Dydw i ddim yn dweud y dylet ti ddechrau gwneud dymuniadau ar hyn o bryd,' meddai Llywela, 'ond weithiau, os yw'r bwriad yn iawn, dydyn nhw'n gwneud dim niwed i neb.' A gyda hynny, hedfanodd Llywela i ffwrdd – gan adael Siriol yn dyfalu a oedd hi wir *wedi* gwneud dymuniad, ynteu ai damwain lwcus oedd hi ei bod wedi gweld Llywela . . .

Mae hyd yn oed dymuniadau
nad ydych yn bwriadu
eu gwneud

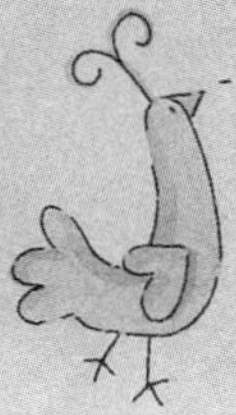

yn dod yn wir, weithiau

Emma Thomson
Siriol Swyn
Cyfrinachau Cyfareddol
a storïau eraill

Emma Thomson
Siriol Swyn
Dymuno Dawnsio
a storïau eraill

Emma Thomson
Siriol Swyn
Cwsg Cythryblus
a storïau eraill

Emma Thomson
Siriol Swyn
Ffrindiau am Byth
a storïau eraill

Emma Thomson
Siriol Swyn
Paradwys Pinc
a storïau eraill

Emma Thomson
Siriol Swyn
Gwyliau Gwych
a storïau eraill

Emma Thomson
Siriol Swyn
Hwyl Hud
a storïau eraill

Emma Thomson
Siriol Swyn
Penbleth mewn Parti
a storïau eraill

Emma Thomson
Siriol Swyn
Merlod Medrus
a storïau eraill